Collection dirigée par Françoise Brissard

POUR TRAVAILLER EN ÉQUIPE

DANS LA MÊME COLLECTION

Françoise BRISSARD

Pour être bon en français.

Pour réussir un exposé.

Jean-Luc MINGAS

Pour prendre des notes utiles.

Chantal PIGANEAU

Pour être à l'aise en dissertation.

Christine SCHMIDT

Pour développer sa mémoire.

Carnet de méthode personnel

Armel Marin

POUR TRAVAILLER EN EQUIPE

Méthode Plus

GER éducation

Le Rocher

ISBN 2.268011.86.0

AMÉLIORER ses méthodes de travail relève de l'intelligence pratique.
Pourquoi travailler en équipe ?
Parce que cela est souvent plus efficace et plus agréable.
L'équipe, c'est la vie. Regardez autour de vous : travailler avec X, vous montrera peut-être les avantages de sa démarche. Vous ? Eh bien vous lui montrerez la vôtre. Etre en binôme ? Vous l'avez déjà fait. Vous savez qu'une démonstration de mathématiques ou une règle de grammaire ne sont vraiment comprises que lorsque vous êtes capable de les réexpliquer.
L'équipe, c'est la dimension supérieure. Devoir vous faire écouter de deux, trois ou quatre équipiers vous apprendra à clarifier vos idées, à les défendre, et vous donnera de l'autorité.
Cette vie en équipe sera certains jours source de dynamisme et de gaieté : qualités qui se transmettent à l'esprit et donnent du punch intellectuel. C'est aussi un véritable exercice professionnel : il faut se dépasser un peu, pour que « ça tourne » lorsque les difficultés surgissent.
Etre en équipe renouvelle vos propres qualités. Là, vous comprendrez le sens de la proposition : la réussite, c'est les autres.
A partir des idées pratiques qui suivent, mettez au point votre propre pédagogie du travail en équipe : la meilleure méthode est celle qui s'adapte à votre personnalité, et à celle de vos équipiers.

I. Que faire en équipe ?

Ces quelques pages veulent vous montrer comment cultiver votre talent d'équipier. Il faut un peu de méthode là aussi, de la spontanéité, et savoir ce qu'on veut en faire.

C'est une très bonne technique.

- pour réviser et pour préparer un examen ;
- pour travailler sur un dossier (à remettre par écrit, ou à présenter oralement).

Combien faut-il être ?

Entre trois et cinq.
Comment choisir ? Laissez-vous porter par les occasions de votre vie professionnelle (vos études) et par votre goût des contacts (vous en parlez tellement).

Qui ?

Ne réduisez pas votre choix à vos meilleurs amis. L'équipe serait fausse. Il y aurait danger de bavardages, d'excès d'affectivité, de discussions à côté du sujet.
L'équipe est un instrument de travail : ce n'est jamais une fin en soi.
N'hésitez pas devant ceux que vous ne connaissez que peu. Ils élargissent votre cercle naturel. Il est peut-être intéressant d'apercevoir des capacités différentes, ou inattendues.

L'équipe vous aide à aller plus loin.

Son dynamisme, sa richesse en personnalités et ses spontanéités renouvellent certains aspects de vos propres méthodes personnelles. Ce sont d'ailleurs vos qualités à vous qui vont être appréciées des autres. Il n'y a pas de bon travail en équipe sans un bon travail personnel.

L'équipe facilite votre tâche.

Vous avez accès à davantage de matériaux : livres, journaux, revues, références, statistiques, témoignages et conseils.
L'équipe permet une meilleure rentabilisation du temps, en quantité et en qualité, puisque le champ est plus large.

Le travail en équipe développe l'intelligence pratique.

Qu'est-ce que l'esprit pratique ? C'est ne pas quitter d'un pas la réalité. On écrit une dissertation avec un objectif... et non pas pour se faire plaisir. On apprend une règle de mathématiques parce qu'il faudra l'appliquer plus tard.
En matière de sens pratique, vous avez certainement beaucoup à apprendre. Le fait de devoir rendre compte aux autres, et organiser votre travail commun, vous y incitera.

II. Comment travailler en équipe ?

Il y a des réflexes à acquérir pour répondre aux trois questions :
- Comment se réunir ?
- Comment partager le travail ?
- Comment avoir des résultats ?

Se réunir : Où ? Quand ? Pendant combien de temps ?

Où ?

Le lieu choisi pour vos réunions de travail doit répondre à deux critères :
– être central pour les membres de l'équipe ;
– être favorable au travail : peu bruyant, minimum de confort, de l'air.

Aménagez-le de manière pratique : le mieux est encore de disposer d'une grande table qui vous permet :
– de parler à égale distance les uns des autres, et de vous voir tous ;
– d'étaler vos documents.

• Quand ?

Si vous avez à préparer un dossier ou une leçon importante, prévoyez toujours une réunion dès que le professeur vous donne le travail à faire. Pas de travail en équipe dans la précipitation d'une veille d'examen.
Prévoyez d'emblée la date de la ou des réunions qui jalonneront votre travail : la planification des tâches à réaliser est l'élément n° 1 du travail en équipe.

• Pendant combien de temps ?

Tout ce qui touche au temps est d'une extrême importance. Sachez l'économiser, le préserver, l'organiser de telle manière qu'il soit léger, heureux, productif.
Une réunion doit être courte et bonne : une heure et demie au grand maximum si vous avez entre les mains un sujet copieux. Si cela est nécessaire – et possible – coupez votre réunion en deux. Il vaut mieux deux réunions d'une heure un quart chacune qu'une seule de deux heures et demie.
Ceci implique, bien sûr, que vous ayez assuré le travail de préparation indispensable.

Travailler « au réveil ».

Au début, c'est une contrainte que d'avoir l'œil sur le réveil : après, là aussi, on découvre des automatismes pour :
- savoir démarrer le travail « à la baguette », celle du chef d'orchestre, sans mettre dix minutes pour savoir si l'on est prêt ou pas ;

- savoir le temps nécessaire à la réalisation d'une tâche ;
- mieux encore, savoir se limiter soi-même dans le temps.

Exemple :
Nous avons à préparer un exposé et nous avons une semaine. Etant donné les contraintes des uns et des autres, Serge n'est pas libre mercredi soir, Sylvie ne l'est pas samedi matin, il nous reste deux possibilités de réunion. Faut-il se réunir deux fois ?
Non. Une seule réunion suffit si elle est bien préparée.

Nathalie est chargée, l'avant-veille du jour de la réunion, de rappeler à tout le monde que nous avons décidé :
- que Serge, Sylvie, David apportent tels documents utiles ;
- que Nathalie doit, en début de réunion, parler de manière construite, pendant dix minutes, sur le sujet qu'elle a « potassé » avant les autres – pour gagner du temps.

Comme nous sommes un peu « serrés » dans notre emploi du temps, le découpage de l'heure et demie de réunion sera le suivant :
- Démarrage : briefing sur le sujet par Nathalie (dix minutes).
- Serge, Sylvie, David disent ce qui est intéressant dans les documents qu'ils ont en main (cinq minutes chacun).
- Pendant ce temps-là, Nathalie note très peu de choses sur ce qui est dit des documents.
- Nathalie prend la parole cinq minutes pour dire ce qu'elle a retenu.
- On ajuste les apports documentaires aux connaissances de Nathalie et on distribue chacun dans son rôle (quinze minutes).

Nous sommes à quarante-cinq minutes du début de la réunion.

- Travail de chacun des équipiers sur la part du sujet qui lui a été confiée (trente minutes).
- Mise en commun et projet de réalisation (quinze minutes).

Avoir une extrême maîtrise du temps, c'est à la fois :

- N'avoir mis que quarante-cinq minutes pour avoir du sujet une première connaissance dans son cadre.
- Disposer encore de quarante-cinq minutes pour approfondir.

Règle :

Ne jamais vouloir tout savoir, tout dire, et le faire entrer à tout prix dans une certaine durée.

Il vaut mieux atteindre avec soin un objectif limité (à l'intérieur du sujet) que viser plus haut et livrer des connaissances en vrac.

Ceci implique qu'il y ait un meneur de jeu, désigné d'un commun accord. Mais aussi que le responsable de la coordination ait un sens aigu du temps, de la ligne à suivre et des étapes à franchir en direction de l'objectif à atteindre.

Au cours de vos premières expériences en équipe, n'hésitez pas : ayez un gros réveil de cuisine sous le nez... tic tac...

III. Les différents types de réunions de travail

Plan de travail sur quinze jours.

Briefing
- Action à accomplir.
- Instructions pour chacun.

5 jours

Travail individuel : recherche d'informations et de documents.

Réunion de synthèse documentaire :
- Présentation des documents.
- Organisation.
- Répartition du travail d'approfondissement.

5 jours

Travail de chaque équipier sur sa part de sujet.

Réunion de conclusion
- Définition de l'architecture.
- Répartition des rôles pour la réalisation du travail.

5 jours

Travail individuel ou en groupe (relecture, répétitions).

Le dossier est remis
L'exposé est réalisé.

48 h

Réunion de debriefing.
- Recommandations pour le prochain plan de travail.

Le briefing (J – 15).

il répond à la question : De quoi s'agit-il ?
Voici la définition du *Petit Robert* :

- Briefer : faire à quelqu'un un exposé précis.
- Briefing (1945 ; mot anglais) :
  - Aviation : réunion où les équipiers reçoivent avant de partir en mission les dernières instructions.
  - Par extension : réunion d'information entre personnes ayant à accomplir une même action.

De cette définition, vous devez retenir :

- que le briefing est un **exposé précis ;**
- qu'il s'agit de recevoir des **instructions.**

Il ne s'agit donc pas de bavardages, de conversations, d'échanges, mais de définir les éléments les plus précis pour l'**action.**
La technique de base est donc la suivante :

- Présentation :
  - des faits principaux ;
  - des problèmes à résoudre.
- Préparation de l'action ; qui est chargé :
  - de quoi ;
  - pour quand ;
  - sous quelle forme ?

Le briefing doit être dirigé : nommez un chef d'équipe (le plus compétent *a priori* sur le sujet dont il est question).

Il obéit à des règles du jeu :

- Parler peu.
- Montrer le plus possible (au tableau, ou sur la table). Essayez de vous munir d'un tableau-papier ou d'un *charts* (portable). Un bon schéma vaut mieux qu'un long discours.
- Lorsque celui qui présente le sujet a cessé de parler et seulement alors, on pose des questions.

La deuxième partie du briefing est consacrée à la préparation de l'action (devoir, exposé, projet, etc.). Elle doit être soignée, car cela fait gagner du temps et permet d'atteindre de meilleurs résultats.
Une action bien préparée est ordonnée, et va beaucoup plus facilement **droit à l'essentiel.**

Qu'est-ce que l'essentiel ? Ce qui est caractéristique, intrinsèque, absolument nécessaire, obligatoire, primordial, capital, important (cf. *Petit Robert*).

Se concentrer sur l'essentiel du sujet c'est donc le contraire de tourner en rond, ce qui arrive souvent quand :

— on est inorganisé ;
— on est fatigué ;
— on a négligé de lire utilement le sujet proposé ;
— on n'a pas suffisamment posé le problème avec clarté ;
— on n'est pas déterminé à aller « tout droit » ;
— on s'intéresse à l'environnement du sujet et non au sujet lui-même.

Pour éviter ces travers :
— en cours de réunion, donner au chef d'équipe mission de ramener les autres au sujet ;
— désigner, pour la suite, un responsable de la coordination dans l'équipe.

Faire un compte rendu de la réunion (voir p. 20).

LE COMPTE RENDU DE RÉUNION

Prenez l'habitude, après chacune de vos réunions, d'en faire un rapide compte rendu.
Ce n'est ni long ni difficile si :

- vous le faites tout de suite, dès la fin de la réunion, en cinq minutes ;
- vous ne notez que les décisions prises, et qui fait quoi.

Inspirez-vous de ce modèle de présentation.

Réunion du .... **Objet :**		
Décisions prises :		
Responsable	Décision	Délai
X	1 -	30 mai
A et B	2 -	—
Y	3 -	7 juin
Date et objet de la prochaine réunion :		

L'idéal, pour un maximum de simplicité et d'efficacité, est d'écrire le compte rendu sur un bloc, en utilisant autant de carbones que de participants. Chacun repart avec son exemplaire : la succession des originaux pourra être consultée à tout moment sur le bloc.

La réunion de synthèse documentaire (J-10).

Synthèse (cf. *Petit Robert*) : Opération qui procède du simple au composé, de l'élément au tout ; opération intellectuelle par laquelle on rassemble les éléments de connaissance concernant un objet de pensée ou un ensemble cohérent.
Document : C'est un écrit — en général — qui sert à fournir des informations. Quand on dit de l'un de vos travaux qu'il est bien documenté, cela veut dire que vous avez donné des informations intéressantes, relatives au sujet, et que vous avez su les choisir. Ils apportent un ou deux éclairages essentiels, voire originaux, à votre démonstration.

Une réunion de synthèse documentaire a pour but :

a) De mettre ensemble tous les documents et informations que chacun a trouvés.
b) De les organiser, de les rattacher à la colonne vertébrale de votre sujet.

a) Il faut donc présenter chaque document en trois minutes à l'équipe :
- montrer son intérêt ;
- le situer :
  - — à quel endroit du sujet,
  - — à quel moment de la démonstration correspond-il ? ;
- en quoi il fait avancer ;
- en quoi il enrichit ;
- en quoi il est cohérent avec le sujet ;
- en quoi il est original.

Tous les documents intéressants ne font pas partie obligatoirement de votre sujet, en tout cas de la présentation de votre sujet. Il est souvent astucieux de garder en réserve une ou deux informations

avec lesquelles, par exemple, vous répondrez aux questions complémentaires.
Tout le contenu d'un document n'est pas destiné à être utilisé. En fonction de votre sujet, et au cours de votre réunion de synthèse, n'hésitez pas à mettre en valeur la partie de votre document qui vous semble la plus révélatrice de ce que voulez démontrer.

b) Ensuite, la réunion de synthèse consiste à mettre de l'ordre dans l'ensemble de vos documents et informations : si possible un ordre dynamique, c'est-à-dire tourné vers l'action (exposé, réalisation d'un projet, etc.).

Pour cela il faut :
- utiliser à bon escient son esprit critique ;
- classer les documents et les rendre aisés à manipuler.

★ **Une réunion de synthèse a pour but de construire.**
Le bon esprit critique conduit l'autre à se poser de nouvelles questions par rapport à une information ou une situation. Il l'amène à approfondir sa réflexion, à explorer un champ plus vaste que celui qui avait été le sien. Le mauvais esprit critique est destructeur, il se contente de saper chaque nouvelle idée sans apporter de nouvelles perspectives ; il est à fuir dans ce type de réunions.

★ **Une réunion de synthèse a pour but de rendre les documents utilisables.**
- Chaque document un peu long (trois pages ou plus) doit être accompagné d'une fiche qui puisse se lire aisément : claire, fidèle, courte, digeste, utilisable par tous les membres de l'équipe (voir encadré).
- les documents doivent être classés, et ce classement récapitulé par un sommaire paginé. On classe :
  — chronologiquement ;
  — ou par thèmes ;
  — ou en direction d'objectifs futurs.

Il est important que ce travail puisse servir à nouveau, à l'occasion d'un travail ultérieur. L'intelligence d'un sujet est souvent faite de la capacité à mettre en communication les informations immédiates et les connaissances stockées.

LES FICHES

Qualité essentielle :	Être utilisables à tout moment par chaque équipier.
Format :	Un seul format pour toutes les fiches (par exemple, 21 × 15 cm).
Style :	Ni excessivement télégraphique ni rédigé. Un impératif : la lisibilité.
Mémoire :	Mettez en valeur les mots clefs qui vous permettent d'indexer les fiches, et constituez un index (tenu à jour).
Principe :	La fiche permet de voir d'un seul coup d'œil l'essentiel. Il peut y a voir des renvois à d'autres fiches, mais sa compréhension doit se suffire à elle-même. La fiche permet d'accéder à des éléments particuliers du document qu'elle accompagne.
Rangement :	Les fiches doivent être stockées toujours au même endroit (dans une boîte ou une petite valise) : autant que possible dans la pièce où vous vous réunissez habituellement.

Procédez à un compte rendu de la réunion.

La réunion de conclusion (J-5).

Nous connaissons le sujet et son cadre (briefing).
Nous avons rassemblé une documentation et nous l'avons organisée (réunion de synthèse).
Chacun a travaillé sa part du sujet.
Nous nous réunissons pour conclure.

La réunion de conclusion consiste à :
a) Définir l'architecture de l'ensemble.
b) Mettre en œuvre sa réalisation.

a) Pour définir l'architecture de l'ensemble, le scénario peut être le suivant :

- Serge rappelle le sujet, présente rapidement les documents.
- Nathalie et Sylvie présentent chacune une idée de construction possible, en montrent l'intérêt, indiquent comment documents et informations pourraient s'insérer.
- David et Boris commentent chaque proposition (avantages / inconvénients).
- Serge suggère des combinaisons des deux propositions, ou des améliorations pour chacune d'elles.

On se met d'accord sur la solution qui semble la meilleure, et surtout la plus praticable.

b) Il faut enfin conclure sur la réalisation du travail et sa présentation :

- Il s'agit d'un dossier à remettre, d'une dissertation à rendre :
  — Qui rédige ?
  — Qui relit ?
- Il s'agit d'un exposé à faire :
  — Qui présentera tout ou partie du sujet ?

Dans le premier cas, il est très difficile, et en tout cas très long, de rédiger à plusieurs. Il vaut donc mieux que chacun rédige une partie du document. En revanche, l'équipe est à nouveau très utile pour l'étape essentielle de **relecture.**
On se relit très mal soi-même (on lit ce qu'on a dans la tête, et non ce qui est sur le papier).
Une bonne solution consiste à « faire tourner » ce que chacun a écrit : le voisin relit avec un œil neuf. Il fait ensuite un commentaire rapide sur les points suivants :

- Je comprends, ou je ne comprends pas (telle idée ou telle phrase).
- C'est pertinent ou hors sujet.
- Le texte se lit facilement ou telle phrase n'en finit plus.
- Il me manque tel maillon ou tel exemple, pour bien saisir l'idée.

Chacun se remet au travail.
En fin de réunion, on collationne les différents textes et on établit en commun les liaisons qui permettront de présenter un tout cohérent.

S'il s'agit d'un exposé, deux solutions sont envisageables :

- Chaque équipier est chargé de présenter une partie ; l'introduction et la conclusion reviennent au même orateur.
- Un seul équipier est chargé de présenter l'ensemble de l'exposé (c'est le « meneur de jeu ») : les autres interviennent ponctuellement, pour présenter un exemple ou un document (ils agissent comme des « spécialistes » et introduisent ainsi une diversité de ton à l'intérieur de l'exposé).

Dans l'un comme dans l'autre cas, donnez-vous une demi-heure pour que chacun prépare sa prestation. Puis faites une première répétition :

- Pendant que Serge parle, Nathalie est chargée de noter les points forts, Sylvie les points faibles de son intervention (de même, à tour de rôle, pour chaque orateur).

- En fin de répétition, on échange rapidement les commentaires ; on se met d'accord sur les points à rectifier ou à améliorer ; on travaille les enchaînements. Chacun retravaille sa partie.

Une seconde répétition peut être réalisée tout de suite, ou, mieux, quarante-huit heures après.

Ne pas oublier de clore la réunion par un compte rendu.

Le debriefing*.

N'en faites pas l'économie ! Cette réunion peut être courte, mais elle a son importance.
Il s'agit de faire l'analyse de l'action réalisée, pour en tirer les leçons utiles à la prochaine opération.
Vous avez rendu votre dossier, réalisé votre exposé, passé votre examen.
Vous avez obtenu un résultat, qui peut avoir plusieurs composantes ; vous avez sollicité des commentaires, obtenu un *feed-back*.
Vous devez en tirer pleinement parti pour le futur.
Là encore, l'équipe vous permet d'aller plus loin : mettez en commun les éléments dont vous disposez et analysez-les ensemble.
Intéressez-vous en particulier à ceux qui ont trait à votre travail commun et efforcez-vous d'en tirer des conclusions pratiques réalisables, à mettre en œuvre dès votre prochaine réunion.
On apprend au travers de ses essais et de ses erreurs : mais ce sont les autres qui nous permettent de les repérer.

* *Debriefing :* Analyse de l'action effectuée, à chacune de ses étapes, avec l'intention d'utiliser ces résultats lors d'une prochaine action.

IV. Comment faire pour que ça marche ?

Les règles du jeu.

Comme pour un sport collectif, il faut se mettre d'accord sur des règles du jeu... et les appliquer.

La règle du jeu n° 1 a trait à la manière de prendre une décision.

Essayez de ne pas recourir systématiquement :
- au vote ;
- aux solutions moyennes ;
- au consensus facile (« on décidera la prochaine fois »...) ou au constat de désaccord (« puisqu'on n'est pas d'accord, chacun fait comme il veut »...)

Pour prendre la meilleur décision, il faut :
- que chacun argumente ;
- que l'équipe analyse les « plus » et les « moins » de chaque position par rapport à l'objectif.

Aidez-vous, par exemple du tableau suivant :

Rappel de l'objectif :			
Avantages Inconvénients	Position de Serge	Position de Nathalie	Position de Sylvie

Vous pouvez affiner votre analyse en pondérant les différents avantages ou inconvénients (++, +, =, —, — —).
Faites systématiquement retour à l'objectif pour mesurer constamment la **pertinence** des arguments avancés.
Préférez plutôt la solution qui offre le plus d'avantages à celle qui présente le moins d'inconvénients. Et voyez ensemble comment pallier les inconvénients éventuels.

La règle du jeu n° 2 consiste à toujours revenir au *briefing*.

Dès qu'une difficulté se présente, il faut revenir aux éléments essentiels du *briefing* : quel est l'objectif ? — c'est-à-dire qu'est-ce qu'on veut ? — quelles sont les instructions ?
Par exemple, au moment où l'équipe doit définir le **plan** de l'exposé à réaliser ou du dossier à rendre, il faut se demander : « à quoi doit servir le plan ? ».
Le plan est là pour guider, pour rendre évidente la **démonstration**. Revenez à l'objectif de départ et posez-vous cette question : « que voulons-nous démontrer ? ». Si vous parvenez à donner une réponse nette, la construction du plan ne pose plus de difficulté : il

suffit de déterminer les étapes de votre démonstration. A partir de là vous pouvez à tour de rôle dire comment vous « voyez » le développement des chapitres, l'utilisation des exemples.

La règle du jeu n° 3 a trait à la communication entre les équipiers.

Elle doit être continue, y compris entre les réunions.
A cet effet, il est utile de nommer un responsable de la coordination.
Celui-ci est chargé de la coordination permanente des actions, du suivi du planning, de l'information des équipiers.
Il vaut mieux choisir quelqu'un qui ait un sens pratique développé — ou celui qui est décidé à améliorer le sien.

La règle du jeu n° 4, c'est le sens du résultat.

Engrangez vos résultats au fur et à mesure ; prévoyez des paliers ; ne vous laissez pas impressionner par les incidents : il y en aura toujours.
Réflexes à acquérir :

- 1 : Avancer constamment.
- 2 : Avoir de bons repères pour revenir sur ce qui n'a pas été vu.
- 3 : Ne pas chercher à tout savoir.
- 4 : Faire avec ce qu'on a : bien organiser et bien présenter les connaissances dont on dispose.
- 5 : Se mettre d'accord sur un planning de travail et le respecter.

Résister à la boulimie de certains, au « pinaillage » de tel autre, ou au côté « brocanteur » : on entasse et on aura toujours de quoi...

Les aspects pratiques.

De l'utilisation des photocopies.

Comme beaucoup de machines actuelles, la photocopieuse est un petit engin merveilleux, à la condition qu'on sache s'en servir avec discernement.
Veillez à ne pas être submergé par le papier !
Il faut faire seulement les photocopies indispensables :

- En un seul exemplaire si le document est destiné à entrer dans le classeur de l'équipe.
- En un nombre suffisant d'exemplaires pour que chacun ait un jeu complet des documents essentiels ou de ceux sur lesquels vous prévoyez de travailler ensemble.

N'oubliez jamais qu'une documentation personnelle, comme une documentation d'équipe, n'a d'intérêt que si l'on peut à tout moment retrouver sans difficulté ce qu'on cherche.
Le grand danger est qu'on n'aille jamais s'en servir.

De l'utilisation du surligneur.

Il faut s'en servir peu et bien.
L'abus du surligneur conduit à la paresse intellectuelle. On collectionne des chapitres bariolés, sans esprit de discernement, en croyant à tort que la mémoire avalera tout.
Utilisez deux couleurs et adoptez un code d'utilisation qui vous soit commun : le vert voudra toujours dire la même chose, le jaune de même.

Les bons réflexes.

- Quand il y a plusieurs photocopies sur un même sujet, rédiger une note d'une demi-page qui donne les meilleures clefs pour pénétrer le document, et sa synthèse en trois phrases.

- Quand un document est un peu long (plus de deux feuillets), lui donner un titre et le jalonner de trois ou quatre intertitres. Sa lecture ultérieure en sera facilitée.
- Ne pas être paresseux : faire des fiches et se donner le mal d'organiser sa documentation. Vous êtes tout de même trois ou quatre fois plus productifs que si vous étiez seul.

Les notes utiles.

En équipe, le temps étant précieux, vous serez souvent en situation de devoir utiliser des notes prises en cours ou à partir d'un ouvrage, d'un article, d'une interview.
Il est indispensable que votre prise de notes soit immédiatement efficace, c'est-à-dire utilisable par les autres équipiers. Pour cela :

- Ayez un objectif : réfléchissez aux informations dont vous aurez vraiment besoin.
- Notez de manière synthétique (et non le mot à mot).
- Prenez vos notes de telle sorte que leur lecture ultérieure soit facile. Si votre expérience du travail en équipe est encore nouvelle, ne livrez pas vos notes à vos équipiers sans vérifier qu'ils connaissent le sens.
  — de vos abréviations ;
  — de vos flèches ;
  — de votre style télégraphique.

Mettez-vous d'accord lors d'une de vos réunions :

- sur les abréviations dont tout le monde devra se servir ;
- sur les idéogrammes les plus courants (=, //, >, <, ??, =>, etc.).

Dès que vous aurez un peu de recul, reprenez en groupe d'anciennes notes pour vous assurer qu'elles sont durables.
Pour prendre des notes utiles et durables, ayez toujours un projet clair d'utilisation dans l'avenir. N'hésitez pas à les compléter en tenant compte des remarques des autres, pour améliorer leur qualité.

Le compte à rebours (ou le scénario des « SI »).

Deux éléments permettent d'avoir une vue sur l'avenir : l'imagination et l'organisation.
Le compte à rebours, ce sont les quelques centaines d'opérations qui permettent de savoir qu'une fusée Ariane placera sur orbite, au-dessus de Kourou, un satellite à l'heure dite.
Si votre tempérament est un peu « pinailleur », le compte à rebours vous aidera à avoir une vision d'ensemble d'une opération.
Si, au contraire, vous êtes plus sensible à l'exaltation des derniers moments, cette méthode vous donnera les points d'appui pour libérer votre esprit et le mettre plus à son aise.
Il s'agit d'abord de bien **définir votre but**.
Puis de déterminer les étapes qui vous permettront de l'atteindre : ce sont les **objectifs** (intermédiaires).
Dans le schéma ci-dessous, le but constitue le cœur de la cible ; les objectifs 1, 2, 3 conditionnent son approche.

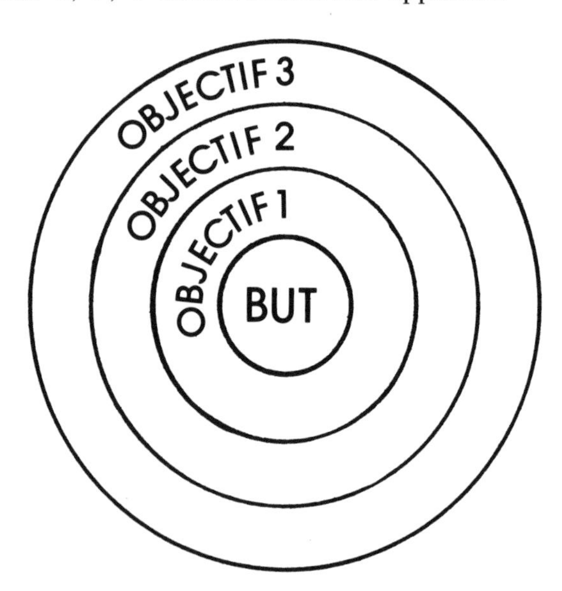

Votre première tâche consiste donc à définir ces objectifs intermédiaires et à les planifier dans le temps.
Pour cela il vous faut vous projeter par l'imagination dans votre réunion de debriefing (celle qui suivra la réalisation de l'action et vous permettra d'en faire le bilan) et déterminer les critères d'évaluation que vous utiliserez.
Par exemple, l'action sera réussie si :

- tel résultat a été obtenu ;
- tel phénomène a été évité ;
- tant de personnes ont été touchées, etc.

Ce sont ces indicateurs de réussite qui vont vous permettre de déterminer la succession des objectifs que vous devez vous donner.
Reste à prévoir :

- Leur réalisation dans le temps dont vous disposez :
  — objectifs → planning.
- La répartition des rôles :
  — objectifs d'équipe → objectifs personnels.

Étude de cas.

Vous êtes chargé d'organiser une journée « portes ouvertes » qui aura lieu le 7 mai.
Votre équipe comprend cinq partenaires : Serge, Nathalie, Xavier, Jacques, Laurent.
Vous démarrez le 27 mars : vous disposez donc de six semaines.
Comment mettre sur pied les instruments de votre compte à rebours ?
En procédant par étapes, comme indiqué ci-dessous.

Étape n° 1 : Préciser les critères d'évaluation de la journée « portes ouvertes ».
Par exemple, on estimera la journée réussie si :

- tous les participants repartent avec une documentation complète ;

- un dossier spécial est remis aux personnalités ;
- chaque participant parvient à s'orienter et à trouver ce qu'il cherche ;
- il n'y a pas d'incidents entre deux invités de la table ronde qui sont réputés ne pas s'entendre ;
- le débat, animé par des membres de l'équipe, tient dans le temps imparti et débouche sur des conclusions ;
- au moins 75 % des participants remplissent le questionnaire qui leur est distribué.

Étape n° 2 : Planifier la réalisation des objectifs dans le temps.
Récapitulons les objectifs qui sont les nôtres :

- *Objectif 1 :* Constituer une documentation, puis concevoir les dossiers « participant » et « personnalité » ; les réaliser en temps utile.
- *Objectif 2 :* Concevoir et effectuer le fléchage des lieux.
- *Objectif 3 :* Mettre en condition les deux invités « difficiles ».
- *Objectif 4 :* Préparer le débat, s'assurer des conditions matérielles de sa réalisation.
- *Objectif 5 :* Concevoir le questionnaire, le tester, le fabriquer.

Nous pouvons les visualiser de la manière suivante :

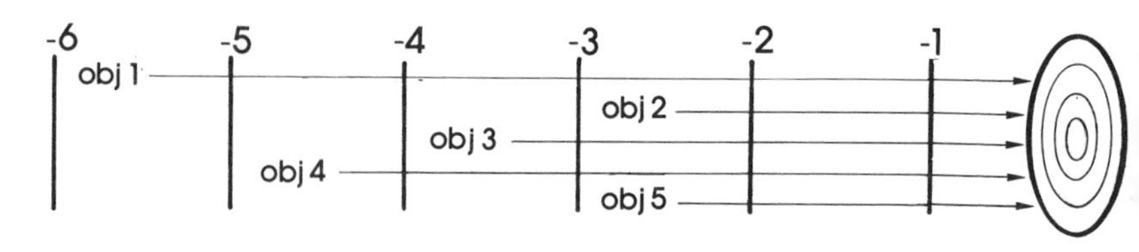

Étape n° 3 : Approfondir la réalisation pratique de chaque objectif.

- Pour l'*objectif 1 :*
  — Qui est concerné ? Tous les membres de l'équipe. Laurent est responsable de l'orchestration.

— Dates butoirs : chaque semaine on fait le point. A moins trois semaines, l'équipe doit disposer d'une documentation suffisante ; si l'on n'a pas ce qu'on espérait, il faut prendre une décision de repli. De toute manière, il faut faire démarrer la phase de réalisation. Les dossiers doivent être prêts à être distribués à moins une semaine (les personnalités doivent les recevoir à l'avance).

- Pour l'*objectif 3 :*
  — Qui est concerné ? Serge est chargé d'adresser un courrier à chaque invité pour préciser quel sera son rôle ; puis de les appeler au téléphone.
  — Date limite : A moins deux semaines si aucune solution de conciliation n'est trouvée, on prend une décision favorisant la présence de l'un des deux, et l'on aménage le déroulement du débat.

Observations.

- La mobilisation de l'équipe a lieu dès le 27 mars. Tous les membres de l'équipe sont concernés par l'*objectif 1 ;* mais ils auront, au fur et à mesure des semaines, à intégrer d'autres objectifs de travail. Leur temps personnel ne doit donc pas être entièrement absorbé par l'*objectif 1*, au détriment de l'harmonie de la partition.
- Il s'agit bien d'un scénario de « si » :
  — Dès le départ : *Si* nous voulons atteindre le cœur de la cible, nous devons mettre en œuvre les mesures suivantes...
  — Tout au long de l'opération : A moins deux semaines, *si* tel incident advient, les conséquences sont les suivantes... et nous devons décider d'une solution de remplacement.
- Pour conduire un compte à rebours, il faut être « pro », et non habité d'un zèle excessif. Il ne s'agit pas d'un match au cours duquel il faut se surpasser. Il s'agit de réaliser dans la durée une suite organisée d'objectifs. Si l'ensemble est au point, il apportera à l'équipe et à son action le maximum de sécurité.

Étape n° 4 : Définir les objectifs personnels. On peut les visualiser de la manière suivante :

	-6	-5	-4	-3	-2	-1
SERGE	obj 1 →		obj 3 →			→
NATHALIE	obj 1 →	obj 4 →				→
XAVIER	obj 1 →			obj 5 →	obj 2 →	→
JACQUES	obj 1 →			obj 5 →	obj 2 →	→
LAURENT	obj 1 →	obj 4 →				→

C'est la manière de distribuer les cinq partenaires dans leurs rôles qui permettra d'obtenir les meilleurs résultats possibles.
L'équipe est à la fois ce qui supporte l'effort de chacun, et le résultat de l'effort de chacun.

Étape n° 5 : Comparer en continu les résultats effectifs au programme.
Le schéma suivant, en « arête de poisson » permet de visualiser rapidement les éventuels écarts entre les objectifs planifiés et les résultats obtenus : il aide ainsi l'équipe à « voir où elle en est » par rapport aux prévisions, et à prendre tout de suite des décisions correctives. C'est ainsi un excellent tableau de bord du travail en équipe.

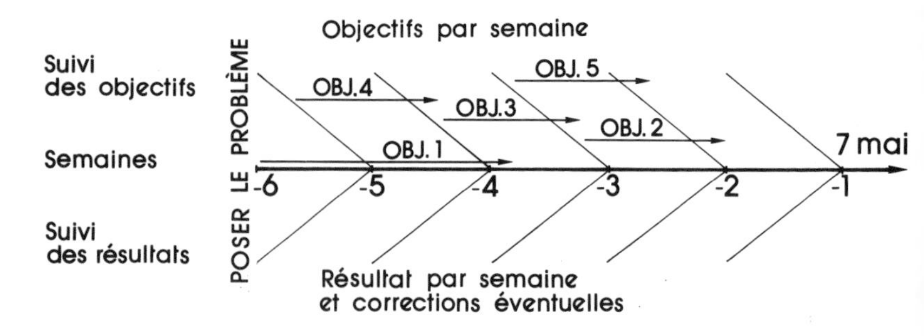

V. L'esprit du travail en équipe

Un esprit ouvert et constructif.

Commencez par mener joyeusement votre petite république. Apprenez à aborder les problèmes de manière pratique, sans vous laisser dominer par les tensions.
Surtout pendant les trois premières semaines, prenez le plus grand soin de cette personne morale particulière qu'est votre équipe. Soignez-la ; ne la bousculez pas. Au début elle doit passer avant vous : après, elle vivra presque toute seule.

Une équipe est plus que la somme de ses membres.

Vous commencerez à avoir réalisé une sacrée bonne équipe quand elle saura fonctionner malgré les impondérables : « Xavier est malade », « la salle de réunion n'est pas disponible », « Jacques n'a pas apporté ses documents ».

Habituez-vous à être quelqu'un qui apporte des **solutions**, et non des problèmes.
Observez, intéressez-vous aux autres. Encouragez-les. Il faut qu'ensemble vous produisiez davantage d'idées que vous ne l'auriez fait individuellement. Un esprit de liberté et de création doit habiter votre « maison commune ».

La maîtrise du temps.

Il est de la plus grande importance :

- de savoir évaluer le temps nécessaire à la réalisation d'une tâche ;
- de savoir dire, tout aussi clairement, comment on peut s'y prendre pour faire au mieux cette tâche si l'on ne dispose que de deux heures, une heure ou une demi-heure.

En équipe vous devez vous entraîner à apprécier vos résultats, et aussi la façon dont vous atteignez vos résultats. Au cours de la réunion de *debriefing*, exercez-vous à mesurer vos progrès en termes de temps passé / énergie dépensée / résultats obtenus.

Du bon usage de l'esprit critique.

En équipe, il s'agit de développer son esprit critique de manière positive.
Rien n'est plus difficile que de dire à un autre ou de s'entendre dire : « ceci ne va pas, recommence ».
Il faut savoir le dire ; il faut savoir le recevoir : ne pas en être peiné, choqué, désespéré, grognon, vengeur...
Une équipe qui travaille est à l'entraînement : il est indispensable que vous entendiez les critiques **avant** le match.
De même, lorsqu'on a une remarque à faire, il convient de se poser la question suivante : « suis-je capable de dire cela clairement, et surtout d'expliquer ce que je propose d'améliorer ? »

Ou encore « si ce que je dis à mon co-équipier m'était destiné, est-ce que je serais capable d'en tirer quelque chose d'utile ? »
Tout esprit critique qui ne construit pas est mauvais.
Tout esprit critique qui attaque l'autre est à fuir.
Tout esprit critique qui est la remise en cause de l'action tue la vie de l'équipe.
Le commentaire critique doit porter sur l'essentiel et doit comporter un début de solution meilleure.

Tirer parti des personnalités.

En équipe, il faut savoir travailler avec ordre, mais aussi avec beaucoup d'imagination.
Chaque équipier possède sa personnalité : il ne faut pas vouloir la fondre dans la masse, mais au contraire tirer le meilleur parti de ses qualités.
Confiez à Xavier ce qu'il fera mieux que personne... quitte à observer comment il s'y prend.
Lorsque vous avez à monter un dossier en commun, partagez-vous les tâches en fonction de vos talents respectifs.

Exemple : Vous avez à effectuer un travail sur « l'avance des déserts dans le monde » :
- L'équipier n° 1 sera chargé de la « chasse aux images ».
- L'équipier n° 2 va réunir des chiffres (nombre, taille, depuis quand ?).
- L'équipier n° 3 rêve d'aventure : il va s'intéresser aux « histoires vécues » : Comment se repérer dans le désert ? Faut-il marcher le jour ou la nuit ? Qui sont les habitants des zones limitrophes ?
- L'équipier n° 4 va s'intéresser aux aspects géologiques et écologiques : Quelle est la végétation des déserts ? Comment se produisent les phénomènes d'érosion ?

CONCLUSION

Le travail en équipe permet d'améliorer ses propres méthodes de travail.

Pourquoi ?

- Le travail solitaire excessif conduit à l'enfermement. Il est tonique et revitalisant de faire échange de connaissances, de méthodes, de styles.
  L'inquiétude est mauvaise conseillère : on ne dort plus, on répète encore une fois le même chapitre, sans se rendre compte que l'une des priorités est au contraire d'être « en forme ».
  Se retrouver en équipe aide à « défouler » les tensions, à ne pas se replier sur ses difficultés. La communication téléphonique ne procure pas l'équivalent.
- Le travail en équipe apprend comment aider les autres. Ce faisant, chacun apprend beaucoup sur lui-même et la manière dont il opère.
- On sait mieux passer examens et concours lorsqu'on a appris à travailler sur le fond **et** sur la forme.
  Certes le fond constitue l'essentiel : il faut avoir des connaissances, et savoir les utiliser.
  Mais il ne faut pas négliger la forme, c'est-à-dire la manière de les présenter, de les mettre en valeur ; c'est ce qui permet bien souvent de « grignoter des points ».
  Le fait de devoir montrer à ses co-équipiers ce qu'on a fait, et d'écouter leurs critiques permet de progresser de manière décisive dans ce domaine.

ADRESSES UTILES

GER éducation Paris : 9, rue Sainte-Anastase — 75003 Paris.
Tél. : (1) 48.04.59.29.

GER éducation Rhône-Alpes : 21, cours Émile-Zola — 69100 Lyon-Villeurbanne. Tél. : 78.89.56.28.

TABLE DES MATIÈRES

Le rocher
28, rue Comte-Félix-Gastaldi
Monaco

Dépôt légal : septembre 1991
N° d'édition : CNE section commerce et industrie
Monaco 19023
N° d'impression : G91/16350 P
Imprimé en France